PRADERA DE LAS LIEBRES

RECORRIDO

DA + META

Título original: Hund & Hase
© Verlagshaus Jacoby & Stuart GmbH, Berlín, Alemania, 2009
© de la traducción española:
  EDITORIAL JUVENTUD, S. A., 2012
  Provença, 101 - 08029 Barcelona
  info@editorialjuventud.es
  www.editorialjuventud.es
Traducción de Susana Tornero
Primera edición, 2012
Depósito legal: B. 3.536-2012
ISBN 978-84-261-3876-7
Núm. de edición de E. J.: 12.461
Impreso en España - Printed in Spain
BIGSA, Avda. Sant Julià 104-112
Polígono industrial Congost - 08403 Granollers (Barcelona)

Rotraut Susanne Berner

EL PERRO
Y LA LIEBRE

Traducción y adaptación de Susana Tornero

GIROL SPANISH BOOKS
P.O. Box 5473 Stn. F
Ottawa, ON K2C 3M1
T/F 613-233-9044 www.girol.com

editorial juventud
Barcelona

Esta es la historia de Lucas Liebre y Pablo Perro.
Viven en Villa Abejón, a orillas del río Abejón,
un pueblecito rodeado de montañas y prados.

Lucas y Pablo se ven todos los días en la escuela. A los
dos les gustan las mismas cosas, pero no se hablan nunca.
La familia Liebre y la familia Perro no se pueden ni ver.

En Villa Abejón existe una tradición muy antigua:
todos los lunes, miércoles y viernes, los perros se reúnen
delante de la casa de la familia Liebre para cantar
canciones de burla:

«Queremos comer, comer, comer, una liebre, dos o tres...»
O bien: «Una liebre se balanceaba, sobre la tela de
una araña...», y así durante toda la tarde, hasta que se
hace de noche.

Y existe otra tradición igual de antigua: las liebres se reúnen
todos los martes, jueves y sábados delante de la puerta
del jardín de la familia Perro para tomar la revancha: «Perro
ladrador, poco mordedor, pero si no muerde, mucho mejor...»

O bien: «Muerto el perro, se acabó la rabia...», y así hasta la hora de cenar. A excepción del domingo. Ese día reina la tranquilidad. Y hoy es domingo, y muy caluroso, por cierto.

–¿Por qué no puedo ir a la Pradera de las Liebres? –pregunta
 Lucas.
–Porque es muy peligroso –responde su madre.

Seguro que también irán los perros, y ya sabes lo que
dicen: los últimos siempre serán los primeros...
en ser mordidos por los perros. Será mejor que te quedes
a jugar con tu hermanito Adri.

–Todo el mundo se reunirá esta tarde en la carpa. ¿Por qué tengo que quedarme en casa? –pregunta Pablo.

—Porque no queremos tener nada que ver con esa chusma de la familia Liebre. Será mejor que te ocupes de tu hermanita Catalina.

–¡Pero hay un premio y todo! –dice Lucas–. ¡Sois como
los perros!

–¡Te estás ganando una buena reprimenda! –dice el padre–.
Y no olvides esto: a reunión de perros, liebre muerta.

–¡Pero yo también quiero participar en la carrera! –dice
 Pablo.

—Lo que nos faltaba —dice el padre—. Ir a correr precisamente con esas liebres que todo el mundo sabe cómo corren.

–¿Pero has conocido bien a algún perro? –pregunta Lucas.
–¡Dios me libre! –dice su tía.

–Dicen que el padre de tu tatarabuelo conoció a uno
una vez. Pero ya se sabe que visto uno, vistos todos:
¡el perro al hoyo y el vivo al bollo!

–¿Pero por qué estamos peleados con las liebres? –pregunta
 Pablo.
–Es una larga historia –suspira el abuelo.

–Nadie sabe exactamente cómo empezó todo. Pero eso
da igual, ¡las liebres lo estropean todo roe que te roe
y tienen una barbaridad de hijos! ¡Donde uno menos
se lo espera, salta la liebre!

«¡Qué aburrimiento! ¡Menudo día de perros! –piensa
Lucas–. No hay nadie con quien jugar en muchísimos

metros a la redonda. Todos están en la Pradera de las
Liebres. Soy el único que se ha quedado aquí tirado.»

«Se me va a poner cara de roedor de puro aburrimiento»,
piensa Pablo, tumbado en su cama.

«¿Voy a dejar que me llamen liebre miedica? ¡Pies para qué os quiero!»

Así pues, a escondidillas, ocho patas se escapan
sigilosamente: saltan de la ventana a los arbustos, trepan

por la verja y salen corriendo campo a través, llegan a
la carretera y de ahí se dirigen al centro.

En la Pradera de las Liebres hay una gran expectación.
Los participantes ya se han colocado ordenadamente en
la línea de salida.

Solo faltan tres minutos para la hora de inicio, cuando
Pablo y Lucas llegan a la línea de salida, casi sin respiración.

–¡A buenas horas! –grita Carlos Cuervo, y coloca a Lucas
el dorsal con el número diez–. ¡A tu sitio, rápido!

–¡Siempre en el último momento! –se queja Gilda Gallina,
mientras ayuda a Pablo a ponerse el dorsal nueve–. ¡Venga,
colócate entre Gabi y Lucas!

–¡Preparados, listos, ya!

Carlos Cuervo da la señal de salida.

Y ahí van todos corriendo: Lucas Liebre y Pablo Perro,

Gabi Gata y Caín Corzo, Jorge Jabalí y Cati Cabra,

Mario Mapache y Rita Raposa, Tito Tejón y Olivia Oveja.
La pradera entera retumba bajo sus pies, y el público
grita entusiasmado.

«¡Señoras y señores, la gran carrera de la Pradera de
las Liebres acaba de empezar!»
Laura Lechuza, locutora de Radio Abejón, controla todo
lo que pasa desde lo alto. «Señoras y señores, desde aquí
puedo ver como Pablo y Lucas van en cabeza,

seguidos muy de cerca por Tito Tejón y Jorge Jabalí.
Estamos preocupados por el tiempo. ¡Esperemos que
esta sensacional carrera finalice antes del temporal! Más
adelante se pondrá en contacto con nosotros nuestro
reportero Enrique Erizo, que se ha desplazado para seguir
con la retransmisión sobre el terreno.»

Mientras tanto, Pablo y Lucas llevan ya una gran ventaja.
—¡Voy a hacerte picadillo de liebre, conejito de pascua!
—jadea Pablo, e intenta cortarle el camino a Lucas.

–¡Vas a ver lo que es bueno! ¿Adónde crees que vas con esas patas tan esmirriadas, perro cobardica? –grita Lucas, e intenta adelantar a Pablo.

«¡Sensacional, sensacional! –El reportero Enrique Erizo
va retransmitiendo cada etapa–. ¡En estos instantes pasan
frente a mí Pablo Perro y Lucas Liebre a una velocidad
asombrosa, seguidos muy de cerca por el número tres!
Mi compañera Lina Lagartija me comunica que la
temperatura es de 35 grados a la sombra. Ya están cayendo

las primeras gotas de lluvia. Y con esta información de última hora devolvemos la conexión a la Pradera de las Liebres.»

–¿Por qué no ha participado en la carrera? –pregunta Lina.

–Bueno... –suspira Enrique–, hace algunos años me descalificaron. Pero esa es otra historia.

«Señoras y señores –anuncia Laura Lechuza, aferrándose a su silla elevada azotada por el viento–, sentimos mucho anunciar que la carrera queda suspendida debido al temporal. Y ahora pongan atención a un importante comunicado.»

«El señor Gabriel Gorrino ha perdido a su hijita Gloria.
Si tienen alguna información al respecto, diríjanse a
cualquier punto de control para facilitar su búsqueda.
Y si alguien localiza a la niña, se ruega que la acompañe
inmediatamente a la carpa del Prado de las Liebres,
donde la está esperando su padre.»

Pero Pablo y Lucas no se enteran de nada de esto. Calados hasta los huesos, corren y corren sin parar. Solo cuando un rayo cae muy cerca de ellos, Lucas grita:

—¡Quieto, Pablo! ¡Esto es muy peligroso! ¡No podemos seguir corriendo!

Pero Pablo sigue corre que te corre. No se detiene hasta
que alcanza un árbol en medio de la explanada.
–¡Pabloooo! –grita Lucas–. ¡Ven aquí enseguida!

¡El rayo puede caer sobre el árbol, no puedes refugiarte
ahí! ¡Yo sé muy bien lo que hay que hacer cuando
hay tormenta. ¡Ven aquí! ¡Vente!

–¡Mamá! –solloza Pablo–. ¡Mamá, socorro! ¡Tenía que haberte hecho caso! ¡Tengo mucho miedo! ¡Qué vida más perra!

–No tengas miedo, Pablo –le consuela Lucas–, en esta

hondonada no nos puede pasar nada, y seguro que la
tormenta parará pronto.

Lucas tiene razón: la tormenta no tarda mucho en
escampar. Todo está oscuro y silencioso.

–¿Dónde estamos exactamente? –pregunta Lucas.

En estos momentos, Radio Abejorro retransmite la
noticia de que Pablo Perro, Lucas Liebre y Gloria Gorrino
se han perdido.

–¡Dios mío, Dios mío! –grita la tía–. ¡Pobrecito Lucas, pero
si se pierde en cualquier sitio! ¡Y sin cenar ni nada!

En las noticias de la noche se pide a todos los habitantes de Villa Abejón que colaboren en la búsqueda y se personen en la carpa.

–¡Madre mía, madre mía, pobrecito mío! –se lamenta la madre–. ¡Con el miedo que le dan las tormentas a Pablo! ¡Ay que se va a resfriar!

–No tengas miedo, Lucas, ¡anímate! –le consuela Pablo–.
Sé muy bien lo que hay que hacer cuando uno se ha

perdido. Solo tienes que mantenerte pegado a mí, ya verás como pronto encontraremos el camino.

Pablo tiene razón. De repente, la gran carretera aparece
delante de ellos.

—¡Aquella es la casa de Tito Tejón! —grita Pablo.

–¡Si giramos a la izquierda llegaremos al puente sobre
el río Abejón!

–Psst –susurra Lucas–. ¿No oyes nada?

–Hay alguien sentado bajo aquel abedul, en medio del agua
–grita Lucas Liebre.
–¡Pero si es Gloria Gorrino! ¡El río Abejón se ha desbordado
y ha cubierto de agua todo el prado! –grita Pablo.

Y sin pensárselo dos veces, los dos se quitan los zapatos y se lanzan al agua.

Juntos rescatan a Gloria, y hechos una sopa, muertos
de frío, cansados y hambrientos, llegan hasta la carretera.
–¡Qué hambre tengo! –dice Lucas–. ¡Mi reino por un
pastel de hierba conejera!

–Y además hace un frío de perros –dice Pablo–. Tengo los
pelos de punta.

–¡Quiero ir con mi papá! –dice Gloria, y se ponen en
camino a toda prisa.

El camino hasta la Pradera de las Liebres lo recorren en menos de diez minutos, y cuando Pablo, Lucas y Gloria entran en la carpa, todos estallan en un grito de júbilo.

Pero el más feliz es Gabriel Gorrino, que abraza a
la pequeña Gloria, y todos opinan que Pablo y Lucas
se merecen una buena recompensa.

«La Comisión de Festejos ha decidido –anuncia Carlos Cuervo– ¡que Pablo y Lucas han ganado conjuntamente el gran regalo sorpresa de la carrera de este año!»

Carlos trae con sumo cuidado una gran caja. Ramón Ratón
les entrega el ramo de flores. En la carpa todo el mundo
está en silencio mientras Pablo y Lucas abren juntos la tapa
y desvelan el misterio:

¡Un par de patines!
¡Un par de flamantes, ajustables, amarillos y maravillosos patines!

Un patín para Lucas.
Y un patín para Pablo.

Desde entonces, hay una nueva tradición en Villa Abejón:
todos los lunes, miércoles y viernes, Lucas Liebre patina

arriba y abajo con los patines flamantes, ajustables, amarillos y maravillosos delante de su casa, hasta que se hace de noche.

Y hay otra tradición igual de nueva: todos los martes,
jueves y sábados, Pablo corre con los flamantes, ajustables,

amarillos y maravillosos patines por el camino de delante
de su casa, hasta la hora de cenar.

A excepción del domingo. Ese día descansan.

O bien salen a patinar los dos juntos: Pablo Perro
y Lucas Liebre.

Rotraut Susanne Berner es una de las ilustradoras y diseñadoras gráficas más conocidas más allá del dominio lingüístico del alemán. Ha ilustrado muchos libros, álbumes ilustrados y novelas infantiles, y en la actualidad publica también libros con sus propios textos e historias. En el año 2006 fue galardonada con el Premio de Literatura Juvenil de Alemania por el conjunto de su obra. Rotraut Susanne Berner vive y trabaja con su marido en Múnich.

GRAN HUESO

PRADO DE LOS ZORROS

FAMILIA LIEBRE

RÍO ABE

FAMILIA TEJÓN

FAMILIA PERRO

VISTA DE VILLA ABEJÓN